Haifische in der Spree

Tödlicher Streit in Berlin

A1/A2

Von Roland Dittrich
Illustriert von Patrick Rosche

Haifische in der Spree

Roland Dittrich
mit Illustrationen von Patrick Rosche

Redaktion: Kerstin Reisz
Layout: Annika Preyhs für Buchgestaltung
Technische Umsetzung: Klein & Halm Grafikdesign, Berlin
Umschlaggestaltung: Ungermeyer, grafische Angelegenheiten

Bildquellen
Umschlagfoto: Corbis / © jchauser/RooM the Agency
S. 36: Fotolia / © davis (oben) / © Jörg Hackemann (Mitte) /
    © Brent Hofacker (unten links) / © rdnzl (unten rechts)
S. 37: Shutterstock / © BigRoloImages

www.cornelsen.de

1. Auflage, 1. Druck 2016

© 2016 Cornelsen Schulverlage GmbH, Berlin

Druck: H. Heenemann, Berlin

ISBN 978-3-06-120737-3

 Inhalt gedruckt auf säurefreiem Papier aus nachhaltiger Forstwirtschaft.

Inhalt

Sie können diese spannende Geschichte auch über einen MP3-Player zu Hause, bei einer Auto-, Zug- oder Busfahrt anhören und genießen.

4

Personen

Frieder Kunstmann, 45 Jahre
Musiker und freier Journalist,
Leiter der Bürgerbewegung „Freies Spree-Ufer"

Frank Hayak, M.A., 35 Jahre
Projektleiter Entwicklung und Investment der
Firmengruppe NOVASPREE

Oliver Zahn, 30 Jahre
Stellvertreter von Frank Hayak
in der Firma NOVASPREE

Bibi Frosch, 26 Jahre
Lehrerin und Mitglied der
Bürgerbewegung „Freies Spree-Ufer"

Lara Kunstmann, 16 Jahre
Schülerin und Rettungsschwimmerin,
Tochter von Frieder Kunstmann

Markus Berg, 28 Jahre
Detektiv und freier Journalist

Dr. Elisabeth Aumann, 32 Jahre
Kurzform „Lisa", Detektivin

gemeinsame Detektei SIRIUS in Köln

Orte der Handlung in Berlin

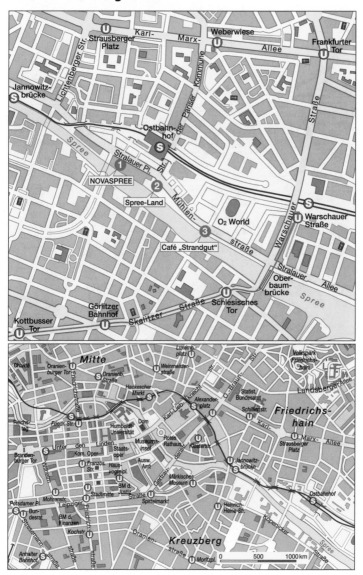

Kapitel | 1

Ein ruhiger, warmer Sommertag liegt über Berlin.
Elisabeth Aumann ist gerade aus Köln angekommen und
steht an der Spree. Sie schaut auf die große, rote Oberbaumbrücke. Schön oder hässlich, fragt sie sich, oder beides?
5 Dann geht sie weiter, die Mühlenstraße entlang, in Richtung
der Firma NOVASPREE. Dort wird sie einen Auftrag bekommen.
Sie geht an einem langen Zaun entlang und bleibt auf einmal stehen: Da ist er offen, mit einem breiten Eingang. Sie ist
10 neugierig, geht ein paar Schritte hinein und steht plötzlich in
einer anderen Welt: in einer kleinen Stadt mit bunten Buden.
Leute kommen auf Fahrrädern an, junge und ältere, in allen
Hautfarben. Ein Auto kommt, und ein Mann mit Jamaika-
Mütze bringt Getränke und Papier. Vor einem bunten Kiosk
15 sitzen junge Leute, trinken Kaffee und unterhalten sich. Aus
einer Bude hört man Musik.
Elisabeth ist etwas unsicher: Ich passe nicht hierher, ich bin
zu elegant, wie eine Geschäftsfrau ...
Weiter vorn sieht sie den Fluss – die Spree.
20 Am Strand sitzen Gruppen von Jugendlichen im Gras, reden
miteinander, lachen und trinken etwas.
Eine Gruppe arbeitet mit Farbe an einem Plakat.
Elisabeth geht näher heran.

---

6 der Auftrag: eine Arbeit, eine Aufgabe bekommen
8 der Zaun: Reihe von Holzteilen als Grenze
11 die Bude: einfaches, kleines Haus oder Kiosk
18 elegant: in Kleidung mit Stil, für einen wichtigen Termin

Auf dem Plakat sieht man das Bild von einem Fluss, und aus dem Wasser kommen Haifischflossen.

„Was malt ihr da?", fragt Elisabeth.

„Das wird ein Plakat, ein Protest-Plakat gegen diese Haie", erklärt Lara Kunstmann, eine von den Jugendlichen. 5

„Die wollen alles fressen, unsere freien Plätze und Strände an der Spree, alles wegnehmen!"

„Und was für Haie sind das?", will Elisabeth wissen.

Plötzlich steht ein Mann neben Elisabeth.

---

2 der Haifisch: Fisch, der andere Fische frisst

2 die Flossen: „Arme und Beine" bei einem Fisch

4 der Protest: Aktion gegen etwas, was man negativ oder falsch findet

„Das sind diese Finanz- und Immobilienfirmen.
Die wollen hier alles kaufen, auch die freien Ufer an der
Spree."
Elisabeth schaut sich den Mann an: Er ist groß, mit schwar-
5 zen Wuschelhaaren – nicht unsympathisch, denkt sie – ein
starker Mann.

„Ach so, ich möchte mich vorstellen: Frieder Kunstmann."
„Elisabeth Aumann."
„Kommen Sie mit, trinken wir einen Kaffee, dort auf unserem
10 Hauptplatz. Da erkläre ich Ihnen alles."

---

1 die Immobilienfirma: kauft und verkauft Häuser, Land, Grundstücke
2 das Ufer: Land direkt an einem Fluss oder See
5 Wuschelhaare: → *Bild oben*

Elisabeth nimmt die Einladung an, denn sie will jetzt Genaueres wissen.

Von Frieder Kunstmann kommen jetzt bittere Worte: „Sehen Sie, diese Firmen wollen hier an der Spree Geschäftshäuser, Büros, Restaurants bauen und brauchen dafür Land. Das Ufer an der Spree ist aber für alle Bürger da – das muss frei bleiben, für jeden!"

„Und das ist Ihr Protest?"

„Genau. Wir – die Bürger – wollen nicht unsere freien Ufer verlieren. Und deshalb gibt es die Bürgerbewegung ‚Freies Spree-Ufer'."

Die Jugendlichen vom Strand sind jetzt auch da und hören zu.

„Und Sie gehören zu dieser Bürgerbewegung?"

„Wir alle hier. Und ich organisiere das, auch das ‚Spree-Land' hier", erklärt Kunstmann.

„Warum sind Sie hier? Arbeiten Sie für eine Zeitung?", fragt Lara Kunstmann und zeigt auf den Aktenkoffer von Elisabeth.

„Nein, ich gehe gerade zu NOVASPREE, drüben im großen Haus. Da gibt es Arbeit."

„Buuuuuh!", machen plötzlich alle Jugendlichen und sehen Elisabeth unfreundlich an.

„Was ist los? Stimmt etwas nicht?" Elisabeth versteht nicht.

„Ich gehe jetzt lieber, sonst komme ich zu spät."

„Wir sehen uns wieder, ganz sicher." Frieder Kunstmann gibt ihr die Hand. „Bald werden Sie verstehen."

Elisabeth geht langsam auf die Straße zurück.

---

6 die Bürger (Pl.): alle Einwohner in einer Stadt
10 die Bürgerbewegung: Aktion der Bürger für oder gegen etwas
18 der Aktenkoffer: kleiner Koffer für Akten (wichtige Papiere)

Kapitel | 2

Das Hochhaus von NOVASPREE. Elisabeth steht davor und findet die moderne Architektur sehr interessant und schön. Sie geht hinein und steht auf einem großen Platz. Um den Platz herum stehen die Wände des Hochhauses, hell und
5 aus Glas. Es ist still auf dem weiten Platz, kein Mensch ist zu sehen.

Aber da ist etwas Interessantes: In der Mitte ist eine kleine grüne Landschaft mit exotischen Pflanzen. Elisabeth geht näher heran und kommt an einen Teich, einen kleinen See,
10 mit vielen bunten Fischen, und aus einem Baum kommt leise Musik.

1   das Hochhaus: hohes Haus mit vielen Stockwerken
2   die Architektur: *hier:* der Stil des Hauses

Es ist schön, aber etwas künstlich, mitten in dieser Architektur aus Beton und Glas, denkt sie, – jetzt muss ich aber gehen.

Sie fährt hinauf in den fünften Stock, geht einen langen Flur entlang und kommt zum Büro von: 5

6

7

8

9

Ein kleiner, sportlicher Mann begrüßt sie sehr herzlich: 10 „Willkommen, Frau Dr. Aumann, willkommen bei NOVASPREE! Wir haben schon auf Sie gewartet."

„Entschuldigen Sie die Verspätung. Auf dem Weg hierher habe ich dieses ‚Spree-Land' gesehen. Interessant!"

„Na, dann haben Sie ja schon mit Ihrer Arbeit angefangen." 15 Elisabeth versteht nicht, was er meint, noch nicht.

Da kommt ein anderer Mann herein.

Elisabeth sieht ihn schnell an: Er ist größer als Hayak, dünn, blond, Brille, schicker Anzug mit Krawatte – wie sein Chef.

„Darf ich vorstellen: mein Kollege, Herr Zahn. Mit ihm wer- 20 den Sie zusammenarbeiten."

Sie begrüßen sich.

Frank Hayak fragt sie sofort nach ihrer Arbeit:

„Sie haben eine Detektei? SIRIUS – guter Name!"

---

1 künstlich: nicht natürlich
2 der Beton: modernes Baumaterial
9 der Leiter: der Chef von einem Büro oder Projekt
9 die Entwicklung: für die Zukunft etwas Neues machen

„Ja, in Köln, zusammen mit meinem Kollegen, Herrn Berg –
für besondere Fälle."

„In Köln? Schöne Stadt ...", meint Oliver Zahn.

Hayak unterbricht ihn: „Ach, Kollege Zahn, machen Sie uns
5 doch einen Kaffee – für Sie natürlich auch."

Zahn geht und macht laut die Tür zu.

Hayak fragt weiter: „Warum ist Ihr Kollege Berg nicht auch
hier, mit Ihnen zusammen?"

„Wir teilen uns die Arbeit. Ich habe Ihren Fall übernommen."

10 „Da bin ich Ihnen sehr dankbar. Und ich möchte Ihnen sofort
erzählen, was unser Problem ist."

„Bitte sehr." Elisabeth ist neugierig.

„Unsere Firmengruppe NOVASPREE – sicher sind Sie schon
darüber informiert – plant neue wichtige Projekte. Alle an
15 der Spree, deshalb der Name."

Da kommt Oliver Zahn mit dem Kaffee.

„Danke! Das ging ja schnell."

2 der Fall: Problem, das die Polizei oder Detektive lösen
4 unterbricht ← unterbrechen: *hier:* lässt nicht weiter sprechen
9 etwas übernehmen: eine Arbeit für jemand machen

Kapitel | 3

„Was für Projekte sind das?", will Elisabeth wissen.

„Projekte zur Entwicklung an der Spree, zur Stadtentwicklung. Es gibt so viel Land am Spree-Ufer, das noch frei ist. Es gibt dort nichts, nur ein paar Buden; nichts ist organisiert, alles chaotisch, schmutzig, ohne Ordnung. Kein gutes Bild 5
für die Stadt Berlin und die Besucher."

„Wie dieses ‚Spree-Land' nebenan?", fragt Elisabeth.

„Genau. Dieses Stück Land wird unser erstes Projekt."

„Aber da gibt es diese Bürgerbewegung, und das Bauamt hat
...", ergänzt Oliver Zahn.   10

„Zahn, seien Sie bitte ruhig – Sie sind nicht gefragt", unterbricht ihn Hayak nervös, „gehen Sie und holen Sie die Artikel und Fotos aus den Zeitungen – bitte!"

Da kommt plötzlich ein Anruf. Zuerst hört Hayak zu, dann
brüllt er ins Telefon: „Was soll das? Lassen Sie uns in Ruhe! 15
Stören Sie nicht immer. Gehen Sie dort weg, aber schnell.

9 das Bauamt: dieses Amt im Rathaus entscheidet: Wo und wie darf
man bauen.

15 brüllen: sehr laut etwas sagen

Nächste Woche schicke ich die Polizei!" Damit endet der Anruf und Hayak setzt sich wieder: „Diese Anrufe kommen immer wieder. Der am Telefon sagte gerade: ,Wir gehen nicht weg. Vorher bist du tot ...'"

5 „Herr Hayak, das meint der doch nicht wirklich."

„Naja, vielleicht haben Sie Recht – hoffentlich."

„Also, machen wir weiter", schlägt sie vor.

„Sehen Sie, Frau Aumann, wir wollen nur das Beste und schaffen dabei viele Arbeitsplätze! Wir wollen dort neue

10 Büros bauen, Geschäfte, Clubs, auch ein schönes Schwimmbad – für alle!"

„Das klingt nicht schlecht. Aber warum bin ich dann hier?"

„Diese Bürgerbewegung ist gegen unsere Projekte und stört uns. Alles kleine Fische! Aber leider hört auch das Bauamt

15 auf sie. Mit dieser Blockade muss Schluss sein! Sonst verlieren wir viel Geld."

Da kommt Zahn zurück mit den Artikeln und Fotos.

„Jetzt kommen wir zu Ihrem Auftrag. Sie sehen: In den Zeitungen steht alles über unsere Projekte. Was aber beson-

20 ders schlimm ist: Wir sprechen in der Firma über eine neue Aktion, nur unter uns. Und ein oder zwei Tage später steht es in der Zeitung!"

„Ja so etwas! Wie kommt denn das dorthin? Meldet das jemand von Ihnen?" Elisabeth versteht jetzt.

25 „Ich glaube, unter uns ist ein Maulwurf."

9 schaffen: *hier:* bringen
15 die Blockade: *hier:* etwas tun, was jede Entwicklung stoppt
25 der Maulwurf: ein Tier unter der Erde, *hier:* Wort für Spion

„Ja, wahrscheinlich", sagt Oliver Zahn leise.

„Frau Dr. Aumann, das ist unser Auftrag: Finden Sie diesen Maulwurf. Suchen Sie – auch in unserer Firma! Sie bekommen alle Hilfen."

„Es wird nicht leicht sein, aber ich versuche es", erklärt Elisabeth. ₅

„Dann unterschreiben Sie hier. Wir geben Ihnen einen Vorschuss – 500 Euro. Ist das genug?"

„Danke. Ich brauche aber weitere Informationen."

„Die bekommen Sie von meinem Kollegen, Herrn Zahn, in ₁₀ seinem Büro."

Elisabeth fühlt, dass mit diesem Zahn etwas nicht stimmt. Sie weiß aber nicht, was.

Beim Abschied fragt Hayak: „Haben Sie meine Landschaft unten gesehen und den Teich mit den Fischen? Ich liebe ₁₅ Fische, besonders schöne kleine …" Er lacht und zeigt dabei seine Zähne.

Als die beiden weg sind, singt er leise das Lied von Brecht:

Und der Haifisch, der hat Zähne,
und die trägt er im Gesicht … ₂₀

7 der Vorschuss: das Geld am Anfang von der Arbeit

Kapitel | 4

Was für ein Unterschied zwischen dem Leben im „Spree-Land" und der kühlen Bürosituation bei NOVASPREE! Wie unterschiedlich sind doch dieser ruhige, natürliche Frieder Kunstmann und dieser dominante Hayak! Dazu noch dieser
5 schwache, nette Oliver Zahn – aber ist er wirklich schwach? Elisabeth sitzt beim Frühstück und denkt nach:
Diese Projekte zur Stadtentwicklung müssen sein, ganz klar, aber so hart und ohne Rücksicht auf die Bürger? Egal, jetzt gehe ich an die Arbeit, mal sehen, wie es weitergeht.
10 Vom Hotelzimmer aus ruft sie ihren Kollegen Markus an: „Hallo, Markus, alles klar in Köln?"
„Hallo, Lisa, wie geht's dir? Was für ein Laden ist dieses NOVASPREE?"
Elisabeth erzählt ihm alles, auch über die Budenstadt unten
15 am Spree-Ufer.

4 dominant: fühlt sich gegenüber anderen als der Stärkste
8 die Rücksicht: man will nichts gegen den anderen tun
12 der Laden: ein Geschäft, *hier:* negativ für Firma

„Lisa, das klingt gut, da ist ja was los. Schade, ich möchte auch dabei sein."

„Nicht jetzt, Markus, aber vielleicht später."

„Sag mal, kannst du wirklich für diesen Hayak arbeiten? Ich könnte es nicht." 5

„Markus, ich mache es. Vergiss nicht, wir brauchen das Geld. Aber ich weiß: Geld ist nicht alles. Tschüss, ich muss los."

Jetzt fängt sie mit ihrer Arbeit an, mit der Suche.

Zuerst geht sie zum Bauamt im Rathaus. Dort muss sie das richtige Büro finden. 10

Dort sitzt eine Angestellte, Frau Matschke.

Elisabeth stellt sich vor und fragt dann nach: Was plant das Bauamt? Was plant das Amt – für oder gegen die Projekte von NOVASPREE?

Von der Angestellten hört Elisabeth, was das Amt will: „Die 15 Bürgerbewegung hat Recht: Wir brauchen freie Spree-Ufer. Aber so einfach ist das nicht. NOVASPREE hat gute Ideen und schafft Arbeitsplätze, und die brauchen wir dringend."

Elisabeth fragt weiter nach: „Und wie haben Sie entschieden?" 20

Frau Matschke gefällt die Frage nicht: „Das ist unsere Sache, und wir können jetzt noch nichts sagen."

Da bekommt sie einen Anruf und antwortet: „Ja, guten Tag – Moment, ich habe gerade Besuch, warten Sie bitte! Frau Aumann, ich muss jetzt arbeiten. Verstehen Sie?" 25

Elisabeth geht und kann noch hören: „Da bin ich wieder. Also, wir verstehen uns. Es ist klar – aber bitte, nichts an die Presse …"

---

19 entschieden ← entscheiden
28 die Presse: Zeitungen und Zeitschriften

Dieser Besuch war nicht so angenehm und auch ohne Ergebnis.

Nur eins weiß sie sicher: Von hier gehen keine Informationen an die Zeitungen. Sie muss an anderer Stelle suchen.

5 Sie hat Zeit und fährt mit dem Bus zum Brandenburger Tor, und von dort geht sie zum Reichstag.

Dort an der Spree sieht sie etwas Interessantes:

Da stehen Gruppen von Kindern, Jugendlichen, Erwachsenen mit Plakaten.

10 Diese Plakate kennt sie:

> *Haifische in der Spree*
> *Freie Spree für alle!*

Ich gehe lieber nicht hin, denkt sie, man darf mich dort nicht sehen, und geht vorbei.

5 das Brandenburger Tor, der Reichstag: → *Landeskunde Berlin*

Kapitel | 5

Am nächsten Tag ist im „Spree-Land" eine wichtige Bespre-
chung. Alle Mitglieder der Bürgerbewegung „Freies Spree-
Ufer" sind gekommen, auch viele Bürger aus den Stadtteilen
Friedrichshain und Kreuzberg. Sie diskutieren über die neue
Situation. 5
Bibi Frosch hält eine flammende Rede: „Liebe Bürgerinnen
und Bürger, wir stehen vor einer Kraftprobe: NOVASPREE
oder wir Bürger! Warten wir, was das Bauamt sagt. Egal was,
wir bleiben hier, für uns und unsere Kinder. Wir sind die
Zukunft, nicht diese Haie!" 10
Alle klatschen Beifall.

6 eine Rede halten: lang und genau über ein Thema sprechen
6 flammend: mit Feuer, macht die Leute wach
7 die Kraftprobe: man probiert: wer ist stärker?
11 Beifall klatschen: die Hände zusammenschlagen, denn man findet
etwas gut

Auch Elisabeth. Sie steht ganz hinten, hört zu und fühlt: Diese Bibi hat wahrscheinlich Recht. Langsam ändert sie ihre Meinung.

Bibi Frosch spricht weiter: „Es heißt, in vier Wochen müssen
5 wir hier weg sein. Aber wir bleiben hier, zusammen sind wir stark!"

Wieder Beifall.

Einer fragt: „Bibi, woher weißt du das – mit den vier Wochen? Kommt das vom Bauamt?"

10 Da holt Bibi Papiere aus ihrer Tasche und hält sie hoch: „Da steht es – schwarz auf weiß."

Alle wollen die Papiere sehen. Elisabeth geht auch nach vorn, und was sieht sie sofort? Es sind Papiere mit dem Logo von NOVASPREE – Briefe und genaue Pläne! Schnell geht
15 sie zurück.

Aber Bibi Frosch sieht sie, läuft zu ihr und fragt sie scharf: „Halt! Was machen Sie hier? Warum sind Sie nicht dort bei NOVASPREE? Für die arbeiten Sie doch!"

11 schwarz auf weiß: *hier:* geschrieben und 100 % sicher
13 das Logo: das typische Zeichen von einer Firma

Woher weiß sie das, denkt Elisabeth schnell.

„Also, was machen Sie hier? Sind Sie vielleicht eine Spionin von denen?"

Frieder Kunstmann kommt dazu: „Bibi, lass sie, sie ist in Ordnung, sie ist privat hier, nicht wahr, Frau Aumann?" 5

„Ja ja, natürlich." Elisabeth muss jetzt lügen.

Aber Bibi Frosch glaubt ihr nicht. Sie ist immer noch misstrauisch.

Elisabeth kann hier nicht länger bleiben.

Unterwegs trifft sie wieder Lara, Mirko und Tobias. Sie stehen da, mit ihrem Plakat. Traurig sehen sie aus. Lara sagt zu ihr: „Frau Aumann, Sie haben es gehört: In vier Wochen müssen wir hier weg. Aber wohin sollen wir gehen?" 10

Da fühlt Elisabeth so etwas wie einen kleinen Stich.

*

Elisabeth geht zurück ins Hotel. Sie möchte jetzt auf andere Gedanken kommen. Vielleicht geht sie aus – nette Lokale mit guter Musik gibt es hier viele. 15

Vorher ruft sie Markus an und erzählt ihm alles, auch über ihren inneren Konflikt.

„Lisa, ich verstehe dich. Und jetzt siehst du, was die Haifische wollen. Aber entscheide selbst." 20

„Danke für deinen Rat, Markus."

„Weißt du was? Morgen komme ich nach Berlin. Die Geschichte ist ‚heiß', sehr interessant – vielleicht schreibe ich darüber?" 25

---

7 misstrauisch: sie denkt, Elisabeth ist doch eine Spionin!
14 der Stich: *hier:* fühlt einen kleinen Schmerz
19 der innere Konflikt: die Gefühle streiten: was soll sie tun?

Kapitel | 6

Termin bei NOVASPREE.

Elisabeth ist wieder auf dem Weg zu Frank Hayak.

Aus der Bürotür hört sie laute Musik, klassische Musik.

„Sie kommen gerade richtig!" Hayak begrüßt Elisabeth herz-
5 lich. „Wir müssen etwas feiern."

„Ja, was wollen Sie denn feiern?"

„Das Bauamt hat uns grünes Licht gegeben. Wir dürfen das
Ufer an der Spree kaufen und dort bauen." Hayak lacht und
zeigt seine Zähne.

10 Ein Haifisch wie auf dem Plakat, denkt Elisabeth.

„Unter uns – ich kenne die Chefin vom Bauamt. Sie weiß,
was richtig ist."

Das ging aber schnell, denkt Elisabeth, gestern sagte diese
Matschke, es ist noch nichts entschieden. Und heute schon
15 ist alles klar? Da stimmt doch etwas nicht.

Hayak ruft Zahn an: „Hallo, Kollege, bringen Sie uns eine Fla-
sche Champagner – na, die aus unserem Kühlschrank – und
Gläser."

„Herr Hayak, ich wollte Ihnen etwas zu meinem Auftrag
20 sagen ..." Elisabeth will zur Sache kommen.

„Ja gern, liebe Frau Aumann. Aber zuerst feiern wir. Wir
haben doch einen guten Grund!"

---

3 klassische Musik: Musik aus früheren Jahrhunderten
7 grünes Licht: *hier:* positive Antwort
13 ging ← gehen
17 der Champagner: alkoholisches Getränk aus Frankreich

Oliver Zahn kommt herein, mit dem Champagner und drei Gläsern – mit finsterem Gesicht.

„So, jetzt Musik dazu, meine Lieblingsmusik, wenn etwas gut geht. Sie kennen das – da-da-da-daaah."

Und dann legt er eine CD mit der Fünften Sinfonie von Beet- 5 hoven ein.

„Trinken wir auf den tollen Start! Prost!"

Elisabeth probiert nur ein bisschen.

„Wir haben gewonnen!" Hayak trinkt noch ein Glas.

„Noch nicht", sagt Oliver Zahn leise.   10

„Wie – was – warum nicht?" Hayak wird laut.

„Wir haben noch keinen offiziellen Brief vom Bauamt", erklärt Zahn.

2 finster: dunkel, *hier:* er denkt Böses
12 offiziell: schriftliche Information vom Amt

„Reden Sie keinen Quatsch! Sie verstehen nichts davon, gar nichts. Gehen Sie lieber an Ihre Arbeit. Wir sprechen uns später!"

Wie kann man so mit einem Kollegen reden, denkt Elisa-
5 beth, der muss seinen Chef hassen.

„Entschuldigung, Frau Aumann, das war jetzt unangenehm, aber musste sein. – Wie war das jetzt mit Ihrem Auftrag?"

„Leider habe ich bis jetzt noch nichts Sicheres gefunden, aber ich suche weiter." Elisabeth sagt nichts Genaues, denn
10 sie ist nicht mehr auf seiner Seite!

„Soll ich denn wirklich weiter machen?", fragt sie vorsichtig.

„Natürlich! Aber ich habe da eine bessere Idee: Wollen Sie nicht bei uns arbeiten? NOVASPREE hat Zukunft, wie Sie sehen."

15 Elisabeth ist überrascht, bleibt aber kühl.

„Vielen Dank! Das ist sehr nett von Ihnen, aber ich bleibe doch lieber bei meinem Beruf – als Detektivin in Köln." Sie antwortet besonders höflich.

In diesem Moment geht laut die Tür auf und Frieder Kunst-
20 mann steht da.

„Moment mal, was wollen Sie denn hier? Sie haben doch keinen Termin!" Der Besucher stört Hayak.

„Ich gehe jetzt lieber", sagt Elisabeth schnell, „zu einem weiteren Termin rufe ich Sie an. Vielen Dank!"

25 Draußen hört man, wie die beiden streiten.

Dann geht wieder die Tür auf und Frank Hayak brüllt: „Raus! Ich will Sie hier nicht mehr sehen. In vier Wochen komme ich zu Ihnen – mit dem Bagger!"

---

1 Quatsch: hartes Wort für eine dumme und schlechte Sache
29 der Bagger: große Maschine für Bauarbeiten

Frieder Kunstmann brüllt zurück: „Sie böser Mensch! Ich wünsche Ihnen alles Schlechte. Kommen Sie nur – dann mache ich Sie fertig!"
Elisabeth steht in einer Ecke und hört zu. Dann läuft Kunstmann vorbei. Jetzt wird es gefährlich! 5

3   jemand fertig machen: jemand kaputt machen

Kapitel | 7

Ein dunkler Himmel liegt über Berlin, mit blauschwarzen Wolken am Himmel. Etwas liegt in der Luft, vielleicht ein Gewitter ...

Frank Hayak steht unzufrieden an seinem Schreibtisch:
5 Noch immer kein Brief vom Bauamt!

Oliver Zahn telefoniert gerade, da steht plötzlich Hayak in der Tür und kommt in sein Büro.

Zahn legt schnell auf. „Guten Morgen", sagt er höflich.

„Habe ich Sie beim Telefonieren gestört?" Hayak kommt
10 näher. „Herr Zahn" – er sagt nicht „Kollege Zahn" – „was machen Sie eigentlich die ganze Zeit? Warum sind die Papiere für die Finanzierung noch nicht fertig?"

Er wartet nicht auf die Antwort von Zahn. „Wissen Sie, Sie haben ja einen schönen Namen – ‚Zahn', aber Sie sind, wie
15 sagt man, ‚zahnlos', oder noch besser: ein ‚Zähnchen'!"

Zahn bekommt ein rotes Gesicht und will antworten, aber es geht nicht.

„Noch etwas: Man hat Sie gesehen, im Café ‚Strandgut', da an der Spree, mit dieser Frosch, und schlimmer: auch einmal
20 unten bei diesen Buden."

„Da habe ich einen Kaffee getrunken, der ist dort ganz gut", entschuldigt sich Zahn.

„Warum nicht in unserer schönen, sauberen Kantine? Die machen doch auch guten Kaffee!"

12 die Finanzierung: wie eine Firma etwas bezahlt
15 das Zähnchen: der kleine Zahn, *hier:* negativ
23 die Kantine: in einer Firma das Restaurant für Mitarbeiter

„Oder haben Sie sich mit denen auch unterhalten? Sagen Sie die Wahrheit!"

„Nein, nein – ja, ja", einen Moment weiß Zahn nicht, was er sagt. Dann denkt er kurz an Bibi und wird wieder ruhig.

„Hören Sie: Was Sie da so machen – und Ihre Arbeit? Das 5 gefällt mir alles nicht. Morgen spreche ich mit den Chefs darüber. Dann werden wir sehen ..."

Oliver Zahn fühlt in sich Angst und Zorn.

„So, Herr Zahn, ab jetzt muss es schneller und genauer gehen. Machen Sie die Papiere für das Bauamt fertig. Bis um 10 sechs will ich alles auf meinem Schreibtisch haben."

„Aber ich muss heute Abend ...", beginnt Zahn.

„Den Abend können Sie vergessen. Erst müssen Sie alles erledigen."

Ja, denkt Zahn, alles erledigen.   15

14 erledigen: eine Arbeit, eine Aufgabe fertig machen

*

„Guten Morgen, Markus, gut, dass du da bist." Elisabeth begrüßt ihn im Hotel. „Du hast schon dein Zimmer?"

„Danke, Lisa, alles prima."

5 „Komm, trinken wir einen Kaffee, ich erzähle dir das Neueste."

„Lisa, ich möchte das alles gern sehen und fotografieren. Das gibt einen tollen Artikel für die Kölner Nachrichten."

„Gut. Am besten siehst du das vom Fluss aus. Machen wir 10 eine Rundfahrt auf der Spree!"

„Nein, Lisa, das ist etwas für Touristen, und es dauert zu lang. Nehmen wir doch ein Wassertaxi, für zwei Stunden."

Sie fahren auf der Spree, an allen wichtigen Stellen vorbei, unter der Oberbaumbrücke hindurch, und kommen am 15 Spree-Ufer an, wo die Budenstadt steht. Markus macht viele Fotos von den Spree-Ufern.

„Gehen wir heute Abend zum ,Spree-Land'?", schlägt Elisabeth vor. „Da kannst du interessante Leute kennen lernen ..."

*

Die digitale Uhr im Bürohaus von NOVASPREE zeigt 20 20.00 Uhr. Alles ist still, nur im fünften Stock sieht man noch Licht.

Von dort kommen zwei Männer, ein kleiner und ein großer. Es sind die Herren Hayak und Zahn.

Sie sprechen nicht miteinander.

25 Unten am Teich sagt Hayak plötzlich zu Zahn: „Ach, ich habe etwas vergessen, oben in meinem Büro, zwei wichtige Briefe. Holen Sie sie bitte?"

Oliver Zahn bleibt stehen und sagt nichts.

„Hören Sie, Zahn. Gehen Sie jetzt hinauf und holen Sie die Briefe. Muss ich das zweimal sagen? Bitte aber schnell – Zähnchen!", ruft er ihm noch nach.

Mit finsterem Gesicht fährt Zahn hinauf.

Hayak wartet am Teich auf ihn, schaut hinein und freut sich 5 über die schönen, bunten Fische.

Plötzlich ist jemand hinter ihm, er bekommt einen Schlag auf den Kopf und fällt mit dem Gesicht ins Wasser. Starke Hände drücken ihn tief hinein. Er wehrt sich, will frei kommen. Aber der Mann hinter ihm lässt ihn nicht mehr los, bis 10 er ruhig ist und im Wasser liegen bleibt.

„So, Haifisch – jetzt fressen dich die kleinen Fische ...", sagt er leise und macht das Licht aus.

7 der Schlag: kurze, harte Bewegung gegen den Körper
9 wehrt sich: kämpft, arbeitet dagegen

Kapitel | 8

Ein Schrei gellt über den Platz im NOVASPREE! Alle laufen zusammen. Was ist denn los – am frühen Morgen?
Eine Putzfrau steht vor dem Teich und zeigt auf einen Körper. Er liegt halb im Wasser und um seinen Kopf schwimmen
5 die kleinen Fische.

„Das ist ja der Herr Hayak!", schreit die Sekretärin, Frau Blum.
„Los! Ziehen wir ihn heraus."
Aber er atmet nicht mehr.

1 ein Schrei gellt: man hört einen sehr lauten hellen Ton
3 die Putzfrau: macht die Häuser und Büros sauber
6 schreit ← schreien: mit lautem, hellem Ton sprechen
8 atmen: Luft einziehen und ausstoßen

Der Notarzt ist schnell da, aber erklärt sofort:

„Leider. Ihr Kollege ist tot. Wahrscheinlich ein Unfall – oder auch nicht. Rufen Sie besser die Polizei."

„Wo ist denn der Kollege Zahn?", fragt Frau Blum.

Langsam kommt er aus seinem Büro, steht oben und schaut 5 hinunter.

„Herr Zahn, kommen Sie! Der Kollege Hayak ist tot."

Die Polizei ist sofort da. Man untersucht den toten Hayak und sieht: Es war kein Unfall, denn er ist am Kopf und am Hals verletzt – es war Mord! 10

„Wer hat Herrn Hayak zuletzt gesehen?", fragt ein Polizist.

„Das war wahrscheinlich ich", sagt Oliver Zahn. „Unsere Arbeit war gestern erst spät fertig. Dann bin ich gegangen."

„Haben Sie etwas Besonderes gesehen?", fragt der Polizist weiter. Er ist etwas misstrauisch. 15

„Nein, da war nichts. Er ging nur zum Teich, wie immer, und hat mit den Fischen gespielt."

Da stimmt doch etwas nicht, denkt der Polizist, aber fragt jetzt auch die anderen Mitarbeiter.

Frau Blum kann viel erzählen, denn die Bürowände sind 20 dünn und man hört fast alles: „Gestern war noch ein Mann hier, dieser Kunstmann von da drüben, von den Buden. Hayak und er hatten Streit, und am Ende sagte Kunstmann: Ich mache Sie ‚kalt' – oder ‚fertig' – oder so."

Jetzt geht die Polizei zum „Spree-Land" und findet Kunst- 25 mann.

Aber er war es sicher nicht, denn gestern Abend machte er Musik, in einem Lokal.

Später ruft Frau Blum die Polizei an und erzählt:

---

10 der Mord: jemandem das Leben nehmen

„Ich habe gestern etwas gehört. Da war wieder so ein Streit zwischen Herrn Hayak und dem Kollegen Zahn, ziemlich laut. Aber vielleicht ist das nicht so wichtig."

Elisabeth kommt zu NOVASPREE und sieht auf dem Platz
5 viele Leute und Polizisten. Was ist da los?

Sie fährt hinauf in den fünften Stock, geht ins Büro von Hayak und – an seinem Schreibtisch sitzt jetzt Oliver Zahn!

„Guten Tag, Herr Zahn, ist Herr Hayak verreist?"

„So kann man das auch sagen … Nein, der Kollege ist leider
10 tot", sagt Zahn kühl.

„Was? Wie bitte?" Sie kann es nicht glauben.

„Heute Morgen hat man ihn gefunden, unten am Teich. Es war ein Unfall – oder Mord, wie die Polizei meint. Wer das war, das weiß man noch nicht."

15 „Schrecklich!" Elisabeth muss sich setzen.

Zahn redet ruhig: „Ich bin jetzt an seiner Stelle."

Warum ist er so kühl, denkt Elisabeth.

„Das Wichtigste: Ich habe seine Projekte sofort gestoppt. So geht das nicht. Ohne die Bürger kann man so etwas nicht
20 machen."

Jetzt spricht der neue Chef.

„Außerdem, Sie verstehen sicher – wir brauchen Ihre Arbeit nicht mehr. Sie haben den Vorschuss, das ist genug."

Er steht auf. „Entschuldigen Sie, wir haben jetzt eine wich-
25 tige Besprechung. Danke und alles Gute!"

Unten geht Elisabeth am Teich vorbei und denkt nach: Wer ist der Täter? Kunstmann? – nein! – oder ein anderer? – oder vielleicht Zahn??

---

8 verreist: macht eine Reise
27 der Täter: Verbrecher, Krimineller, er hat es getan

Kapitel | 9

Das „Spree-Land" liegt im Dunkeln, nur der Platz im Zentrum ist hell, mit vielen bunten Lichtern.

Man hört Musik. Frieder Kunstmann spielt Gitarre, einige singen und aus einer Bude kommt Reggae-Musik.

Alle Freunde und Bekannten sind da, auch Elisabeth 5 Aumann und Markus Berg. Sie sitzen unter ihnen und freuen sich über diesen schönen Abend.

Da! Um die Ecke kommt ein Mann. Im Licht sieht man: es ist Oliver Zahn.

Bibi steht auf und läuft zu ihm: „Olli! Da bist du ja!" 10
Und sie nimmt ihn in die Arme.

„Markus, jetzt verstehe ich", sagt Elisabeth leise, „die Informationen aus dem Büro – die Papiere an Bibi Frosch – das ist unser Maulwurf!"

Lara Kunstmann geht zu ihnen: „Hallo, Oliver! Sag mal, wie 15 geht es dir? Schrecklich, was da passiert ist. Aber jetzt wird alles besser – dieser Hayak ..."

„Bitte nicht!" Zahn unterbricht sie.

Plötzlich sieht man Männer. Sie kommen näher – es sind Polizisten! 20

„Ist hier ein Herr Zahn bei Ihnen?"

„Ja, hier bin ich." Zahn steht vor ihnen. „Was wollen Sie von mir?"

Ein Polizist sagt ruhig: „In der Hand des Toten haben wir etwas vom Täter gefunden. Jetzt machen wir Gen-Tests – von allen. Kommen Sie bitte mit!"

Zahn macht ein paar Schritte zurück.

5 Er schaut kurz und plötzlich läuft er weg – zum Fluss.

Lara schreit: „Wo willst du hin? Bleib stehen!" Und sie läuft hinter ihm her.

Er kommt am Ufer an, sieht die dunkle Spree und springt ins Wasser. Auch Lara springt hinein: „Oliver! Halt! Du kannst

10 doch nicht schwimmen."

Aber dann sieht und hört sie nichts mehr von ihm.

*

Im Hotel sitzt Markus und schreibt. Elisabeth und Frieder

15 Kunstmann helfen ihm.

Dann geht Elisabeth traurig an die Spree.

In der Zeitung steht ein Artikel mit der Schlagzeile:

Kölner Nachrichten · Nr. 167 · Donnerstag 22. Juli 2010

Haifische in der Spree

Ende

---

2 der Gen-Test: biologischer Test: vergleicht Haut oder Haare
4 der Schritt: Bewegung mit dem Fuß

Landeskunde Berlin

Teil A

Berlin, die Wasserstadt

Berlin hat viel Wasser: die Spree, die
Havel, andere Flüsse, Kanäle und
Seen. An der Spree gibt es schöne
Cafés und Clubs. Und mit dem Schiff
auf der Spree kann man die Stadt
auch kennenlernen.

Teil B

Historisches und modernes Berlin

Diese fünf Orte sollte man in Berlin
besuchen: das Brandenburger Tor,
den Reichstag, die Kaiser-Wilhelm-
Gedächtniskirche, das Sony-Center
am Potsdamer Platz und den Fern-
sehturm am Alexanderplatz.

Teil C

Berliner Spezialitäten

Von den Berliner Speziali-
täten sollte man probieren:
einen Berliner Pfannku-
chen und eine Currywurst.

Teil D

Kunst und Kultur

Eine große Zahl von verschiedenen
Museen und Ausstellungen zeigt
moderne und antike Kunst – und überall
kann man Musik hören, von Klassik bis
Jazz und moderne Musik. Etwas Besonderes: Das Filmmuseum im Sony-Center
führt durch die faszinierende Welt des
Films.

Teil E

Berlin, die lebendige bunte Stadt

Jeder Berliner Stadtteil hat etwas Besonderes:
In Kreuzberg leben Menschen aus verschiedenen Kulturen
zusammen.
In Prenzlauer Berg leben gern junge Familien und Künstler.
Und in Friedrichshain – wo unsere Geschichte spielt – findet
man viele Studenten, in der alternativen Szene von Berlin.

Und wie sind die Berliner?
Sie sind schnell im Denken und schnell im Sprechen – sehr
direkt und oft witzig.
Man sagt, das ist die Berliner „Schnauze".

Übungen

Kapitel 1

Ü 1 Die Geschichte spielt in _____ .

Ü 2 Der wichtigste Fluss ist die _____ .

Ü 3 Wer sind die Haifische auf dem Plakat?
a. die Fische in der Spree
b. die Immobilienfirmen
c. die Jugendlichen

Ü 4 Was will die Bürgerbewegung?
a. Freiheit für das „Spree-Land"
b. Land für Büros und Restaurants
c. ein freies Spree-Ufer

Ü 5 Warum ist Elisabeth in Berlin?
a. Sie schreibt einen Artikel über NOVASPREE.
b. Sie bekommt einen Auftrag von NOVASPREE.
c. Sie organisiert die Bürgerbewegung.

Kapitel 2

Ü 1 Im Hochhaus von NOVASPREE. Was gefällt Elisabeth (+), was gefällt ihr nicht (−)? Was glauben Sie?
1. die moderne Architektur ☐
2. die grüne Landschaft in der Mitte ☐
3. der Teich mit bunten Fischen ☐

4. die leise Musik für die Besucher ☐

5. die Architektur aus Beton und Glas ☐

Ü 2   Welche Aussagen über Frank Hayak sind falsch?

a. Er ist Chef von einem Projekt.

b. Er ist Chef von NOVASPREE.

c. Er ist Chef von Oliver Zahn.

d. Er ist Direktor für Finanzen.

**Ü 3   Die Detektive Elisabeth Aumann und Markus Berg.
Ergänzen Sie den Text.**

Elisabeth Aumann und Markus Berg haben ein Detektiv-

büro in _____ mit dem Namen

_____ . Elisabeth und Markus

_____ sich die Arbeit und Elisabeth hat jetzt

den Fall in Berlin _____ .

Kapitel 3

**Ü 1   Was sagt Frank Hayak über das freie Land am Spree-
Ufer? Kreuzen Sie an.**

1. Es ist schlecht organisiert. ☐

2. Dort sind nur komische Leute. ☐

3. Es gibt dort keine Ordnung. ☐

4. Es gibt dort zu viele Buden. ☐

5. Es ist schmutzig. ☐

6. Es ist ein gefährlicher Ort. ☐

Ü 2   Wer hat Frank Hayak angerufen? Was glauben Sie?

a. jemand von der Zeitung

b. Frieder Kunstmann

c. ein unbekannter, böser Mann

d. ein lustiger Kollege

Ü3 **Welche Ziele haben die Projekte von NOVASPREE? Kreuzen Sie an.**

1. freie Ufer an der Spree für alle ☐

2. eine moderne Stadt an der Spree ☐

3. neue Büros und Geschäfte ☐

4. ein sauberes Spree-Ufer ohne Probleme ☐

Ü4 **Wie finden Sie Frank Hayak, wie finden Sie Oliver Zahn? Kreuzen Sie an.**

	Hayak	Zahn
1. freundlich	☐	☐
2. intelligent	☐	☐
3. böse	☐	☐
4. nett	☐	☐
5. langweilig	☐	☐
6. unsicher	☐	☐
7. nervös	☐	☐
8. sympathisch	☐	☐
9. aggressiv	☐	☐

Ü5 **Der Fall NOVASPREE. Ergänzen Sie den Text.**

NOVASPREE hat ein großes Problem: Die neuen Pläne stehen sofort in der _____ .

In der Firma gibt es wahrscheinlich einen _____ . Und Elisabeth soll diese Person _____ .

Kapitel 4

Ü 1 **Wer hat diese Meinung, Elisabeth (E) oder Markus (M)? Kreuzen Sie an.**

	E	M
1. Die Projekte von NOVASPREE sind wichtig.	☐	☐
2. Für Hayak kann man doch nicht arbeiten!	☐	☐
3. Die Detektei muss Geld verdienen.	☐	☐
4. „Spree-Land" – das ist aber interessant!	☐	☐

Ü 2 **Was macht Elisabeth? Wie ist die richtige Reihenfolge?**

a. Danach sieht sie eine Demonstration für das freie Spree-Ufer. ☐

b. Zuerst geht sie zum Bauamt. ☐

c. Dann fährt sie zum Brandenburger Tor. ☐

d. Von dort geht sie zum Reichstagsgebäude. ☐

Kapitel 5

Ü 1 **Bibi Frosch hält eine wichtige Rede. Was ist dabei positiv (+), was ist negativ (−)?**

1. Für die Bürgerbewegung kommen jetzt harte Zeiten. ☐

2. Wir wissen nicht, was das Bauamt sagt. ☐

3. Egal was, wir bleiben hier! ☐

4. Wir sind die Zukunft! ☐

5. Hier steht: In vier Wochen müssen wir hier weg. ☐

6. Aber, zusammen sind wir stark! ☐

Ü 2   Was hat Bibi Frosch in der Hand?

Es sind _____ von NOVASPREE.

Ü 3   Wer ist der Spion oder die Spionin? Was glauben Sie?

a. Frieder Kunstmann

b. Bibi Frosch

c. Frau Matschke vom Bauamt

d. Oliver Zahn

Kapitel 6

Ü 1   Welchen Erfolg feiert Frank Hayak? Ergänzen Sie den Text.

NOVASPREE darf das _____ an der Spree kaufen und dort bauen. Denn Hayak _____ die Chefin vom Bauamt.

Ü 2   „Da stimmt doch etwas nicht", denkt Elisabeth. Was fragt sie sich? Was glauben Sie?

a. Warum war die Information gestern ganz anders?

b. Vielleicht lügt Frank Hayak?

c. Arbeitet das Bauamt mit Hayak zusammen?

d. Ist die Information von Frau Matschke falsch?

e. Bekommt Frau Matschke Geld von NOVASPREE?

Ü 3   Warum ist Oliver Zahn noch vorsichtig?

NOVASPREE hat noch keinen _____ bekommen.

Ü 4   **Elisabeth hat noch kein Ergebnis. Was bietet ihr Hayak an?**

     a. Noch mehr Zeit für ihre Arbeit als Detektivin.

     b. Eine neue Stelle bei NOVASPREE.

     c. Eine schönes Fest mit Musik.

Kapitel 7

Ü 1   **Oliver Zahn bekommt viel Kritik von Hayak.**
Was gefällt seinem Chef nicht? Kreuzen Sie an.

     1. Oliver Zahn ist am Morgen nicht pünktlich. ☐

     2. Die Papiere für die Finanzierung sind immer noch nicht fertig. ☐

     3. Er war mit Bibi Frosch zusammen im Café. ☐

     4. Sein Anzug ist nicht immer korrekt. ☐

     5. Er war zum Kaffeetrinken in der Budenstadt. ☐

     6. Er nimmt sich zu viele freie Tage. ☐

Ü 2   **Warum fühlt Oliver Zahn „Angst und Zorn"?**
Was ist für ihn besonders schlimm?

     1. Er bekommt am Abend nicht frei. ☐

     2. Hayak meint, er arbeitet schlecht und zu langsam. ☐

     3. Hayak will mit den Chefs über ihn sprechen. ☐

     4. Vielleicht verliert er seine Stelle. ☐

     5. Hayak ist zu ihm autoritär und aggressiv. ☐

Ü 3   **Eine Rundfahrt mit dem Wassertaxi. Planen Sie die Fahrt von Elisabeth und Markus auf der Spree!**
Suchen Sie im Internet, in Prospekten, in Büchern.

Ü 4   Das Ende von Hayak. Ergänzen Sie die Wörter aus dem Kasten.

> fällt, hinauf, holen, vergessen,
> wartet, schlägt, ~~sprechen~~, ist

Szene 1
Es ist Abend. Hayak und Zahn kommen nach unten.
Sie *sprechen* nicht miteinander.

Szene 2
Hayak hat etwas _____ , zwei
Briefe. Zahn muss sie _____ .

Szene 3
Zahn will nicht, aber er fährt dann _____ .
Unten am Teich _____ Hayak auf ihn.

Szene 4
Jemand _____ plötzlich hinter Hayak
und _____ ihn auf den Kopf. Mit dem
Gesicht _____ er ins Wasser.

Kapitel 8

Ü 1   Hayak ist tot. Es war kein Unfall, sondern Mord,
denn er ist an Kopf und Hals _____ .

Ü 2   **Die Polizei fragt Oliver Zahn.**
Wann sagt er die Wahrheit (+), wann nicht (−)?
1. Ich habe ihn wahrscheinlich zuletzt gesehen. ☐
2. Unsere Arbeit war erst spät fertig. ☐
3. Dann bin ich weggegangen. ☐
4. Ich habe nichts Besonderes gesehen. ☐
5. Hayak spielte am Teich mit den Fischen. ☐

Ü 3   **Was erzählt Frau Blum? Was steht im Text?**
1. Gestern war ein Mann hier, dieser Kunstmann. ☐
2. Hayak und Kunstmann hatten Streit. ☐
3. Einer brüllte: „Das ist Ihr Tod!" ☐
4. Gestern war wieder so ein Streit zwischen
   den Kollegen Hayak und Zahn. ☐
5. Zahn sagte auch zu ihm böse Worte. ☐

Ü 4   **Oliver Zahn ist der neue Chef.**
Und er hat sofort alle Projekte von NOVASPREE

_____ .

Kapitel 9

Ü 1   **Warum will die Polizei Oliver Zahn mitnehmen?**
Sie will von ihm einen _____
machen. Vielleicht ist er der Täter?

Ü 2   **Was passiert jetzt? Ergänzen Sie den Text.**
Oliver Zahn hat Angst vor dem Test und _____
weg. Er kann nicht _____ , aber er
springt ins Wasser. Lara _____ und hört
nichts mehr von ihm. Sie kann ihm nicht mehr helfen.

Ü 3   Der Artikel von Markus kommt in die Zeitung und hat die Schlagzeile:

_____

Kapitel 1 – 9

Ü 1   **Was ist mit Oliver Zahn passiert? Was glauben Sie?**
a. Er ist tot.
b. Er lebt, aber er ist sehr krank.
c. Er lebt und lernt jetzt schwimmen.
d. _____ .

Ü 2   **Wie geht es weiter mit NOVASPREE und der Bürgerbewegung? Was denken Sie?**
a. Nichts Neues, der Konflikt geht weiter.
b. Frieder Kunstmann wird Politiker und alles wird besser.
c. Bibi Frosch studiert Architektur und arbeitet dann für eine große Immobilienfirma.
d. _____ .

Lösungen

Kapitel 1
Ü1 Berlin
Ü2 Spree
Ü3 b
Ü4 c
Ü5 b

Kapitel 2
Ü1 (Ihre Meinung)
Ü2 b, d
Ü3 Köln, Sirius, teilen,
     übernommen

Kapitel 3
Ü1 1, 3, 5
Ü2 (Ihre Meinung)
Ü3 2, 3, 4
Ü4 (Ihre Meinung)
Ü5 Zeitung, Maulwurf, finden

Kapitel 4
Ü1 Elisabeth: 1, 3
     Markus: 2, 4
Ü2 a4, b1, c2, d3

Kapitel 5
Ü1 positiv: 3, 4, 6
     negativ: 1, 2, 5
Ü2 Papiere / Briefe und Pläne
Ü3 (Ihre Meinung)

Kapitel 6
Ü1 Ufer, kennt
Ü2 (Ihre Meinung)
Ü3 offiziellen Brief
Ü4 b

Kapitel 7
Ü1 2, 3, 5
Ü2 2, 3, 5
Ü3 (Ihre Idee)
Ü4 vergessen, holen, hinauf,
     wartet, ist, schlägt, fällt

Kapitel 8
Ü1 verletzt
Ü2 1+, 2+, 3–, 4–, 5–
Ü3 1, 2, 4
Ü4 gestoppt

Kapitel 9
Ü1 Gen-Test
Ü2 läuft, schwimmen, sieht
Ü3 Haifische in der Spree

Kapitel 1 – 9
Ü1 (Ihre Meinung)
Ü2 (Ihre Meinung)

MP3:
Haifische in der Spree
Tödlicher Streit in Berlin

Gelesen von Martin Klemrath

Regie:	Kerstin Reisz
	Christian Schmitz
Toningenieur:	Pascal Thinius
Studio:	Clarity Studio Berlin

unter www.cornelsen.de/daf-bibliothek